PARA AJUDÁ-LO A GOVERNAR, O REI DARIO TINHA
ALGUNS CONSELHEIROS. ENTRE ELES, ESTAVA UM
JOVEM DE ISRAEL CHAMADO DANIEL, QUE ERA SÁBIO,
HONESTO E MUITO TEMENTE A DEUS.
CB039273

DEUS DEU CONHECIMENTO A DANIEL E A SEUS AMIGOS,
MAS, AO JOVEM, O SENHOR DEU, ALÉM DISSO, A
SABEDORIA DE TODAS AS VISÕES E DE TODOS OS SONHOS.

DANIEL SE DESTACAVA PERANTE O REI, QUE GOSTAVA MUITO DO JOVEM, E ISSO CAUSOU A INVEJA DOS OUTROS CONSELHEIROS DO REINO. POR CAUSA DISSO, ELES ARMARAM UMA CILADA CONTRA O RAPAZ.

SABENDO QUE DANIEL ERA MUITO TEMENTE A DEUS, OS CONSELHEIROS SUGERIRAM AO REI CRIAR UMA LEI QUE PROIBISSE TODO O POVO DE ORAR OU FAZER QUALQUER PRECE A UM DEUS OU A ALGUM HOMEM QUE NÃO FOSSE O PRÓPRIO REI. QUEM DESOBEDECESSE SERIA JOGADO NA COVA DOS LEÕES.

DANIEL ERA CONSAGRADO A DEUS E TODOS
OS DIAS, POR TRÊS VEZES, FAZIA ORAÇÕES
PEDINDO AO SENHOR QUE O ABENÇOASSE.

UM DIA, DANIEL FOI FLAGRADO PELOS OUTROS CONSELHEIROS ENQUANTO ORAVA, E, ASSIM, MANDADO PARA A COVA DOS LEÕES. O REI, LAMENTANDO POR TER DE CUMPRIR A LEI, PEDIU A DANIEL QUE ORASSE A DEUS PARA SER LIVRADO DAS FERAS.

O REI NÃO QUERIA QUE ISSO TIVESSE ACONTECIDO. DANIEL OROU A DEUS, E O SENHOR ENVIOU UM ANJO, QUE ACALMOU OS LEÕES PARA NÃO FERIREM SEU SERVO.

NA MANHÃ SEGUINTE, O REI PROCUROU POR DANIEL E VIU QUE, MILAGROSAMENTE, OS LEÕES NÃO TINHAM FEITO MAL ALGUM AO RAPAZ. O REI FICOU MUITO FELIZ AO VER O JOVEM BEM.